© **Disney Enterprises, Inc.**

2012 Produit et publié par Éditions Phidal inc.
5740, rue Ferrier, Montréal (Québec) Canada H4P 1M7
Tous droits réservés

Des questions ou des commentaires? Communiquez avec nous au **customer@phidal.com**
Site Internet : **www.phidal.com**

Traduction : Valérie Ménard

Imprimé en Malaisie

Nous reconnaissons l'aide financière du gouvernement du Canada par l'entremise du Fonds du livre du Canada pour nos
activités d'édition. Phidal bénéficie de l'appui financier de la Société de développement des entreprises culturelles (SODEC).
Gouvernement du Québec – Programme de crédit d'impôt pour l'édition de livres – Gestion SODEC.

Un beau mariage

Cendrillon vivait un vrai conte de fées! Maintenant, elle allait épouser le prince!

Seulement, un beau mariage, c'est parfois bien compliqué à organiser...

Cendrillon ne savait pas par où commencer! Prudence, l'intendante du château, prit les préparatifs en main. Elle avait déjà rédigé une liste interminable.

—Le couturier royal créera la robe de mariée, déclara-t-elle. Le fleuriste se chargera du bouquet de la mariée, et le cuisinier, du banquet.

—Excusez-moi, Prudence, murmura Cendrillon. Mais le prince et moi pourrions faire un mariage moins fastueux…

—C'est impossible! déclara l'intendante d'un air horrifié. Une future princesse de votre rang doit penser grand!

On convoqua donc le couturier royal, et Cendrillon enfila la première robe qu'il lui proposa. Elle était couverte de nœuds et de rubans !

— Je ressemble à un paquet cadeau, songea la jeune fille. Je préférerais quelque chose de plus simple.

— Non ! se récria Prudence. Vous êtes une future princesse.

Le lendemain, l'intendante et Cendrillon se rendirent chez le fleuriste officiel. Il leur montra un énorme bouquet !

—J'adore les roses, dit la jeune fille. Mais là, il y en a quand même un peu trop !

—Ce bouquet est parfait, décida Prudence. Au secours !

Une grosse abeille en colère avait surgi des fleurs !

Dans l'après-midi, les souris vinrent tenir compagnie à leur amie qui consultait la liste des invités.

—Où est madame Je-sais-tout? demanda Gus.

—Prudence? répondit Cendrillon en riant. Une abeille l'a piquée et le médecin ordonne qu'elle reste au lit. Je vais devoir m'occuper moi-même du mariage!

—Qui est invité à la cérémonie ? demanda Jaq.

—Vous tous, bien sûr ! s'exclama Cendrillon. Ma marraine la fée aussi, ajouta Cendrillon.

—Appelons-la! décréta Cendrillon.
Peu après, la fée apparaissait.
Elle embrassa sa filleule en riant
de bonheur.

—J'adore les mariages! s'exclama-t-elle. La jolie robe, le bal, les valses, la pièce montée… C'est si romantique!

Cendrillon avoua alors que rien n'était prêt.

—Quand la cérémonie a-t-elle lieu? demanda sa marraine.

—Demain! annonça Gus en comptant sur ses doigts.

—Demain et rien n'est prêt! s'affola la fée. Hâtons-nous d'y remédier!

—Je te promets un mariage magique ! annonça la fée.

Elle agita sa baguette magique, et Cendrillon se retrouva vêtue d'une élégante robe de mousseline blanche.

—Marraine ! Il me manque le voile… nota-t-elle.

Mais la fée ne l'écoutait pas. D'un coup de baguette magique, elle mettait les invitations sous enveloppe.

Enfin, la fée déclara :

—Ne négligeons rien et filons en cuisine confectionner un gâteau.

Cendrillon changea de robe et suivit sa marraine. La fée était si gentille avec elle, mais elle était si étourdie!

Heureusement, les souris tâchèrent de réparer ses oublis.

Jaq et Gus se chargèrent des invitations, mais Pom-Pom, la chatte du palais, n'était pas de cet avis! Vite, les petites souris, sauvez-vous!

Pendant ce temps, Mary, Suzy et Perla découpèrent un pan de la longue traîne de la robe de mariée. Elles en firent un voile qu'elles brodèrent ensuite de perles.

—On l'a échappé belle! couina Jaq en rejoignant Cendrillon à la cuisine.

Les yeux fermés, la fée se concentrait et un gâteau gigantesque apparut!

—Qu'en penses-tu, Cendrillon?

La jeune fille hésita avant de répondre:

—Il plaira sûrement à Prudence, marraine!

La fée fronça les sourcils. Sa filleule ne semblait pas très contente…

—Elle préfère ce qui est simple et petit, comme nous! ajouta fièrement Gus.

—Alors, je me suis trompée… regretta la fée.

—Ma chérie, dit la fée en rejoignant
Cendrillon dans sa chambre. Décris-moi le mariage
de tes rêves, et j'exaucerai tes vœux!

Ayant attentivement écouté sa filleule,
la fée se mit au travail.

— Perles rondes, je vous l'ordonne, ornez ce voile
en deux secondes!

Comme Cendrillon était jolie!

D'un coup de baguette magique, les enveloppes
flottèrent par la fenêtre dans un tourbillon d'étincelles.

—Et maintenant, Cendrillon, rapetissons ce gâteau aux proportions peu modestes !

Avant de partir à la cuisine, la jeune fille embrassa les petites souris en les remerciant.

Enfin, le grand jour arriva. Cendrillon resplendissait dans sa robe
de mariée.

—Marraine! Mes souliers! murmura-t-elle. Nous les avons oubliés!

—Pas de panique! dit la fée. Les pantoufles de verre feront l'affaire!

Et les fins escarpins apparurent aux pieds de la mariée.

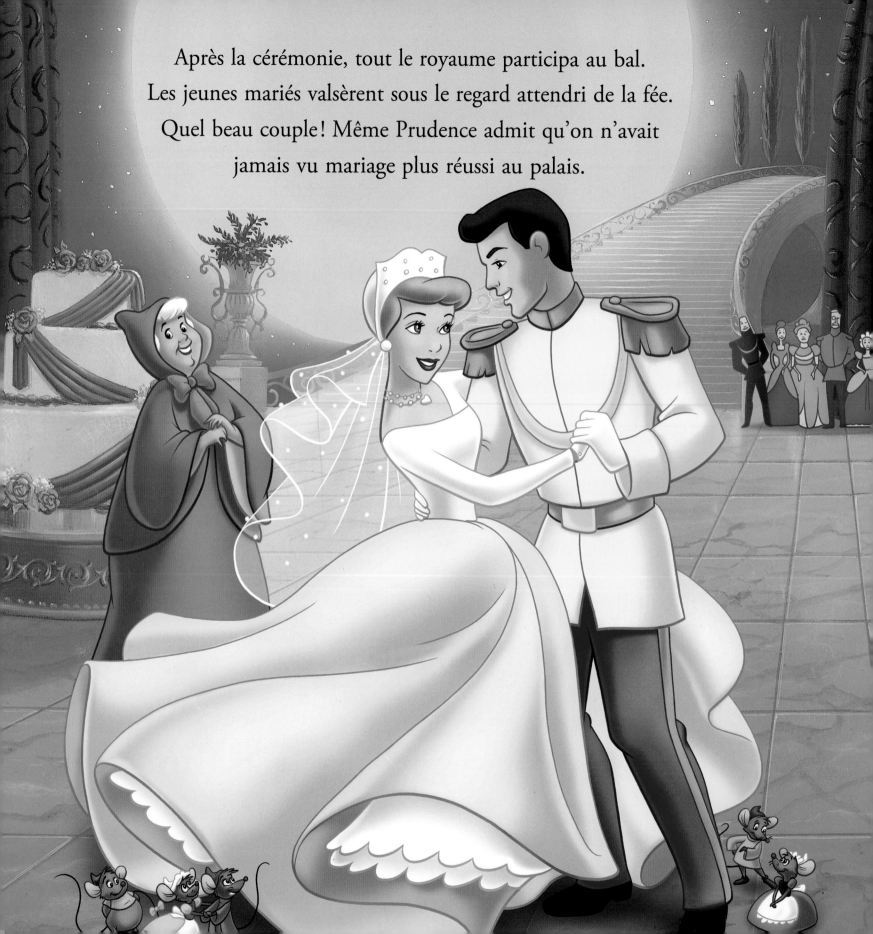

Après la cérémonie, tout le royaume participa au bal.
Les jeunes mariés valsèrent sous le regard attendri de la fée.
Quel beau couple! Même Prudence admit qu'on n'avait
jamais vu mariage plus réussi au palais.